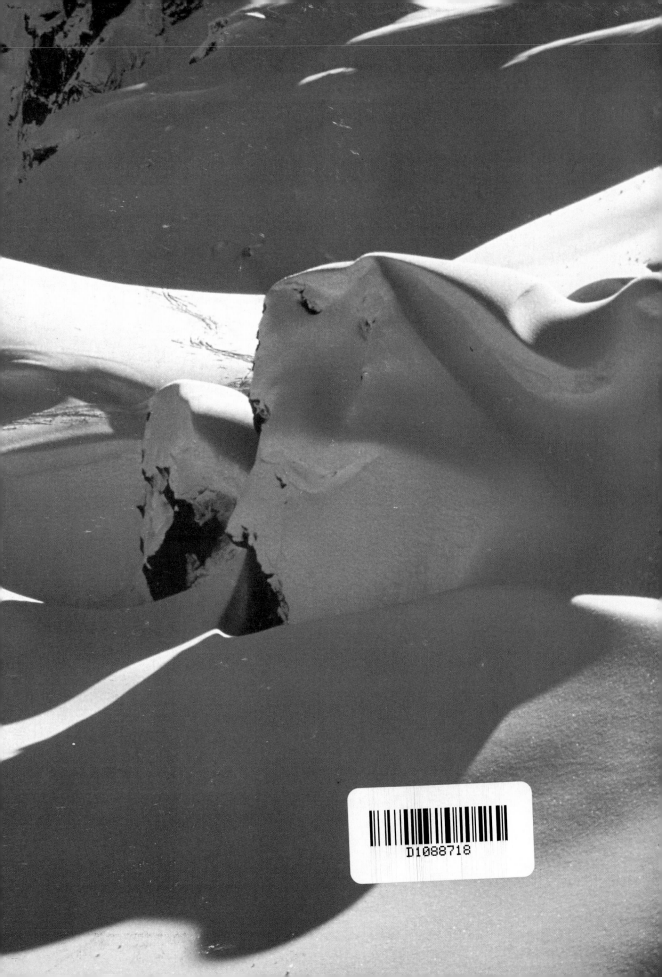

OLAV CHRISTENSEN

Winter in Norway

# VINTER-

Winter in Norwegen

# NORGE

L'hiver en Norvège

# Vinter-Norge

Vinteren i Norge er en eksotisk og spennende opplevelse. Solen står lavt på himmelen og frembyr et vell av skiftende lysforhold som egger fantasien og gir Norges mange landskapstyper stadige forandringer og omskiftninger. I kalde og klare netter er stjernehimmelen eventyrlig, med nordlyset som vinternattens klimaks. Månens skinn visker ut landskapets ujevnheter og kaster trolske skygger i skogen. Vinter-Norges variasjonsrikdom er stor, og fra de arktiske strøk på Svalbard til de sørlige deler av fastlandet går skillelinjene mellom nord og sør, men også mellom kyst og innland. For turister som ønsker en aktiv vinterferie, er innlandet mest attraktivt. Det fantastiske grunnlag som naturen har skapt, med vide og utstrakte fjell- og skogområder, er lagt til rette for fritidsbruk og utgjør et eldorado for skiløpere.

Norge har lenge vært et foregangsland for alt som har med vinter å gjøre, og det er ikke uten grunn at skisporten omtales som Norges gave til verden. I idrettssammenheng står Oslo-OL i 1952 og Lillehammer-OL i 1994 som de foreløpige høydepunkter. Allerede fra vikingtid og middelalder ble skiløping betraktet som en kongelig kunst. Mest kjent er birkebeinernes skiferd tidlig på 1200-tallet, da de gikk over fjellet fra Hamar til Trøndelag med den tre-årige kongssønnen Håkon for at han ikke skulle falle i hendene på sine fiender.

I flere generasjoner har Norges kongehus vist seg som fremragende ambassadører for skiidrett. Nordmenn har knyttet sin nasjonale identitet til vinter og skiløping, og foregangsmenn som Fridtjof Nansen og Roald Amundsen har bekreftet selvbildet ved å «erobre» polområdene i nord og syd.

Nordmenns fritids- og friluftsvaner skiller seg på mange måter fra de kontinentale, og mer enn 400 000 fritidshus ligger spredt utover landet. I en tid der stadig flere søker urørt natur og fred fra hverdagens stress og mas, tilbyr derfor de mange norske utleiehytter unike muligheter for turister, ikke minst om vinteren. De fleste som oppsøker det norske vintereventyret, søker allikevel komfort, og for dem finnes det et stort utvalg, fra enklere pensjonater til høyfjellshoteller i luksusklassen.

Enten man står slalåm, går på langrennski eller boltrer seg med lek og moro i snøen, tilbyr den norske vinter opplevelse og rekreasjon som henviser hverdagens kjas og mas til en plass langt bak i bevisstheten. Det hvite element gjør godt for kropp og sjel, det bringer barnet frem i enhver og fornyer, gleder og underholder. Velkommen til en spennende og opplevelsesrik norsk vinter!

# Winter in Norway

Winter in Norway is an exhilarating and exciting experience. The sun hangs low in the sky, creating a wealth of ever-changing vistas. On clear, cold winter nights the heavens are ablaze with stars, highlighted by the eerie shimmer of the Northern Lights. Moonlight softens the raw edges of the mountains and creates fairytale shadows in the forests. Norway's winter scenery is  immensely varied, ranging from Spitzbergen in the artic north to the mellower regions of the coast, which differ markedly from the interior. Tourists in search of an active winter holiday will find inland Norway most attractive. Here, nature offers a variety of choices – wide mountain ranges and broad expanses of forest, ideal for relaxation and recreation and a paradise for skiers.

Norway has long been a pioneering country in terms of winter activities, and it is no coincidence that skiing has been designated Norway's gift to the word. In a sporting context the Winter Olympics, held in Oslo in 1952 and at Lillehammer in 1994, are the main events. In Viking times and all through the Middle Ages skiing was considered a royal art, and for generations Norway's Royal Family have been prominent ambassadors for the sport. To some extent the Norwegians have founded their national identity on winter and winter sports, as is exemplified by such pioneers of arctic and antarctic exploration as Fridtjof Nansen and Roald Amundsen, who charted the north and south polar regions.

In many respects the leisure and outdoor activities of the Norwegians differ greatly from those of continental Europe. More than 400,000 privately owned cabins, many available for rent, are to be found all over the country. Today, with people fleeing the cities for the unspoilt countryside to escape the stresses of daily life, Norway's cabin culture offers unique opportunities for breakaway holidays, especially in winter, while for those in search of greater comfort there is a wide choice of accommodation, ranging from homely pensions to luxury class mountain hotels. Whether you prefer slalom or traditional cross-country skiing, or even if your only wish is to frolic in the snow, the Norwegian winter will provide you with wonderful experiences and recreation and take you far

 away from the hustle and bustle of everyday life. Norwegians believe that 'the white element' is good for body and soul – it brings out the child in everybody, it rejuvenates you and provides both pleasure and entertainment. So come and enjoy an exhilarating Norwegian winter holiday, brimful of new and exciting experiences!

# Norwegen – ein Wintermärchen

Der Winter in Norwegen ist ein exotisches und spannendes Erlebnis. Die Sonne steht tief am Himmel und bringt eine Fülle von wechselnden Lichtverhältnissen hervor, die die Phantasie anregen und den vielen Landschaftstypen ständigen Wechsel und Veränderungen verleiht. In kalten und klaren Nächten ist der Sternenhimmel märchenhaft mit dem Nordlicht als Höhepunkt der Winternacht. Der Schein des Mondes verwischt die Unebenheiten der Landschaft und wirft zauberhafte Schatten im Wald. Die Mannigfaltigkeit des winterlichen Norwegens ist groß. Für Touristen, die in den Winterferien aktiv sein wollen, ist das Inland am attraktivsten. Die phantastische Natur mit weitausgedehnten Gebirgs- und Waldgebieten lädt zu Freizeitbeschäftigungen ein und ist ein Eldorado für Skiläufer.

Norwegen bietet alles, was man mit Winter verbindet. Mit gutem Grund betrachtet man den Skisport als Norwegens Geschenk an die Welt. Im Zusammenhang mit Sport sind die Olympischen Winterspiele in Oslo 1952 und die Olympischen Winterspiele in Lillehammer 1994 die vorläufigen Höhepunkte. Schon seit der Wikingerzeit und dem Mittelalter galt das Skilaufen als königliche Kunst. Seit mehreren Generationen ist das norwegische Königshaus ein hervorragender Botschafter für den Skisport. Die nationale Identität der Norweger ist mit dem Winter und dem Skilaufen verbunden, und Pioniere wie Fridtjof Nansen und Roald Amundsen haben das Selbstbild bestätigt, indem sie die Nord- und Südpolgebiete "erobert" haben.

Die Freizeitgestaltung der Norweger und ihre Form von Erholung in frischer Luft unterscheidet sich in vieler Beziehung von der kontinentalen Freizeitgestaltung. Es gibt mehr als 400 000 Freizeithäuser über das Land verteilt. In einer Zeit, in der immer mehr Menschen unberührte Natur und Ruhe von der Hetze des Alltags suchen, bieten deshalb die vielen norwegischen Hütten, die man mieten kann, einzigartige Möglichkeiten für Touristen, auch gerade im Winter. Die meisten, die das norwegische Wintermärchen aufsuchen, wünschen jedoch Komfort, und für diese gibt es eine große Auswahl von einfacheren Pensionen bis zu luxuriösen Hochgebirgshotels. Ob man Sla-

lom fährt, Skiwanderungen macht, oder sich im Schnee tummelt, bietet der norwegische Winter Erlebnisse und Erholung an. Dies läßt die Hetze des Alltags vergessen. Das weiße Element tut Körper und Seele wohl, es lockt das Kind in uns allen hervor, und schenkt Erholung, Freude und Unterhaltung. Willkommen zu einem spannenden und erlebnisreichen norwegischen Winter!

# La Norvège en hiver

L'hiver en Norvège est une expérience exotique et passionnante. Le soleil émergeant à peine du nadir provoque de multiples effets de lumières toujours changeants, excitant l'imagination et transformant continuellement les paysages variés de la Norvège. Dans les nuits claires et froides le ciel étoilé présente un spectacle féerique, culminant avec l'aurore boréale sur le fond de la nuit hivernale. La clarté de la lune efface les inégalités du paysage et jette des ombres fantasques dans la forêt. Des régions arctiques du Svalbard aux parties sud du pays, le paysage hivernal de la Norvège est riche et varié. Pour le touriste désirant des vacances actives, l'intérieur du pays est le plus intéressant. Ce paysage fantastique, avec ses vastes étendues de montagnes et de forêts, forme la base d'un eldorado aménagé pour les loisirs de l'hiver.

De tout temps, la Norvège a été le pays pionnier en tout ce qui concerne l'hiver, et ce n'est pas sans raison que le ski est appelé le cadeau de la Norvège au monde entier. Les Jeux Olympiques d'Oslo en 1952 et ceux de Lillehammer en 1994 constituent pour l'instant les points culminants du côté sportif. Dès les temps des vikings et au moyen-âge, le ski de fond est considéré être un art royal. Depuis plusieurs générations, les membres de la famille royale de la Norvège ont été d'excellents ambassadeurs pour le ski. L'identité nationale des norvégiens est étroitement liée à l'hiver et au ski, et des pionniers comme Fridtjof Nansen et Roald Amundsen ont confirmé cet image en "allant à la conquête" du pôle nord et du pôle sud.

Les habitudes des norvégiens en ce qui concerne les loisirs en plein-air différent en bien des manières de celles du continent. Plus de 400 000 maisons de vacances sont éparpillées de par le pays. De nos jours, lorsqu'une nature vierge et le repos du stress quotidien sont de plus en plus recherchés, les châlets de location offrent aux touristes des possibilités exceptionnelles. Néanmoins, la plupart de ceux qui viennent chercher la magie de l'hiver en Norvège, exigent un certain confort. Pour eux, il existe un grand choix de logements, des pensions relativement simples aux hôtels de haute montagne grand luxe.

Qu'on préfère le slalom, le ski de fond ou les jeux dans la neige, l'hiver norvégien offre une expérience et une récréation, bannissant le stress quotidien de la conscience. La neige, cet élément blanc, procure le bien-être pour corps et âme, fait revivre l'enfant dans chacun, régénère, ravit et enchante. Bienvenue à cette expérience passionnante et riche que représente l'hiver norvégien!

# Oslo – skisportens hovedstad

Ingen hovedstad i verden kan konkurrere med Oslo som vintersportssted. I langt over hundre år har byen vært et sentrum i nasjonal og internasjonal sammenheng. Når man ankommer Norges hovedstad, er Holmenkollbakken det som ses først og best. Skianlegget i Holmenkollen er Norges mest besøkte turistattraksjon. Her kan den rike norske skikulturen oppleves i verdens eldste ski-museum, og fra tårnet i hoppbakken er utsikten mer enn storslagen.

Oslo omkranses av vidstrakte skogområder som benyttes flittig til vinterfriluftsliv. Mulighetene er tilrettelagt for alpinister og skihoppere, men mest av alt satses det på merkede og preparerte skiløyper. På søndager og i ferier om vinteren er forstadsbaner og busser tettpakket med skiglade nordmenn på vei til de vakre skogsområdene. I marka serverer skihyttene mat og varme drikker for sine små og store gjester. Tryvannsstua er et av de første bevertningsstedene man treffer på turen, med sine idyllisk beliggende tømmerhus.

No capital in the world can match Oslo as a centre for winter sports. For more than a century the city has been both a national and an international winter-sports centre. On arrival the eye is caught by the Holmen-kollen ski jump, a prominent landmark high in the spruce-clad hills. The Holmenkollen arena is one of Norway's principal tourist attractions. Here, in the world's oldest ski museum, one can steep oneself in Norway's historic ski culture, and from the top of the ski-jump tower there is a breathtaking view of the city and fjord.

In winter, Oslo's encircling hills and forests are thronged with winter-sports enthusiasts. Opportunities abound for alpine skiing and ski jumping, and the whole area is threaded with marked and well-prepared trails for cross-country skiing. Scattered about the forests are lodges and sports centres, such as Tryvannsstua, with its traditional log cabins, offering rest and refreshments.

Keine Hauptstadt auf der Welt kann mit Oslo in Bezug auf Wintersport konkurrieren. Seit mehr als hundert Jahren ist die Stadt ein Zentrum in nationalem und internationalem Zusammenhang. Wenn man in Norwegens Hauptstadt ankommt, fällt einem zuerst die Holmenkollen Sprung-schanze auf. Die Skianlage in Holmenkollen ist die am meisten besuchte Sehenswürdigkeit Norwegens. Hier kann man die reiche Skikultur im ältesten Skimuseum der Welt erleben, und die Aussicht vom Turm der Sprungschan-ze ist mehr als großartig.

Oslo ist von weitgestreckten Waldgebieten umgeben, wo sich im Winter viele Freizeitaktivitäten entfalten. Sowohl alpine Skiläufer als auch Skispringer kommen hier auf ihre Kosten. Auf den Skihüt-ten können sich die großen und kleinen Gäste mit Essen und war-men Getränken stärken. Try-vannsstua mit seinen idyllisch gel-egenen Rundholzhäusern, ist ein-er der ersten Rastplätze, die man auf der Skiwanderung erreicht.

Aucune capitale du monde ne peut se mesurer à Oslo en ce qui concerne les sports d'hiver. Depuis bien plus d'un siècle la vil-le est un centre national et inter-national. En arrivant à la capitale norvégienne, on aperçoit en pre-mier lieu le tremplin de Holmen-kollen. Le centre de ski de Hol-menkollen est l'attraction touris-tique la plus visitée de Norvège, avec le plus ancien musée de ski du monde, et du haut de la tour du tremplin de ski, la vue est splendide.

Oslo est entourée de vastes forêts, dont la population se sert avec zèle pour ses récréations hivernales. Les possibilités sont mises au point pour les alpinistes et les sauteurs, mais on a avant tout misé sur un réseau de pistes de fond.

Les refuges servent des repas et des boissons chaudes pour petits et grands visiteurs. Le refu-ge de Tryvann est un des premiers petits cafés, idyllique avec ses petites maisons en rondins, qu'on rencontre sur son chemin.

Innebygget i Holmenkollbakkens hopp holder Skimuseet til med sine rikholdige og spennende samlinger. I umiddelbar nærhet av anlegget ligger Holmenkollen Park Hotell med sin eventyrinspirerte arkitektur, det eneste gjenværende av en rekke trehoteller som en gang fantes i området.

Eingebaut in den Schanzentisch in Holmenkollbakken befindet sich das Skimuseum mit seinen reichhaltigen und spannenden Sammlungen. In unmittelbarer Nähe der Anlage befin-

det sich das Holmenkollen Park Hotel mit seiner märcheninspirierten Architektur, das einzig noch bestehende von vielen aus Holz gebauten Hotels, die es ehemals in dieser Gegend gab.

Incorporated in the Holmenkollen ski jump is the Ski Museum, which houses an interesting and comprehensive collection of skis, equipment and memorabilia. Nearby stands Holmenkollen Park Hotel, the architecture of which was originally inspired by elements drawn from traditional Norwegian

folktales. This is the only remaining such establishment in the area, which at one time boasted several of these traditional timber-built hotels.

Au sommet du tremplin, vous trouverez le musée du ski, présentant ses collections variées et intéressantes. Près du Centre de Ski se dresse l'hôtel «Holmenkollen Park Hotell», avec son architecture inspiré des contes nordiques, seul vestige de plusieurs hôtels en bois, qui jadis se trouvaient dans la région.

Veien til Holmenkollen går forbi Frognerseteren Restaurant og ender blindt ved Tryvannstårnet. I klarvær kan man se store deler av Østlandsområdet fra utsiktsposisjonen i tårnet. Ved Tryvann finnes flere slalåmbakker som besøkes flittig av ivrige alpinister.

The road from Holmenkollen climbs further up the hill to the Frognerseteren Restaurant, to end at Tryvannstårnet, a telecommunications tower. The observation platform at the top of the tower offers panoramic views of much of southeastern Norway. A short distance away there are several popular slalom courses running out onto Lake Tryvann.

Der Weg nach Holmenkollen führt an Frogneseteren Restaurant vorbei, dies ist ein Blindweg der am Tryvannstårnet endet. Bei klarem Wetter kann man große Teile des Ostlandgebietes von der Aussichtsposition des Turmes sehen. Bei Tryvann gibt es mehrere Slalomabhange, die fleißig von eifrigen, alpinen Skiläufern besucht werden.

La route de Holmenkollen passe devant le restaurant du Frognerseter et aboutit en cul-de-sac à la tour de Tryvann. Par temps clair, on peut voir une grande partie du pays de l'est, du haut de la tour. Autour de Tryvann il y a plusieurs pistes de slalom, bien fréquentées par les fervents de l'alpinisme.

Målt etter areal er Oslo en hovedstad av dimensjoner. Fordi store skogsområder ligger innenfor bygrensene, er det geografiske midtpunkt utenfor bebodde områder. Skogsnaturen som omkranser Oslo, er vakker og brukes som «park» av befolkningen.

In terms of actual area, Oslo is a very big city indeed, and, as large parts of the surrounding forests are nominally within the city limits, its geographical centre is far outside the residential areas. Priceless as they are, these forests are protected as a natural park and playground for the city's population.

Der Fläche nach gemessen ist Oslo eine Hauptstadt von Dimensionen. Weil große Waldgebiete innerhalb der Stadtgrenzen liegen, befindet sich der geographische Mittelpunkt außerhalb bebauten Gebietes. Das Waldgebiet, das Oslo umkränzt, ist schön und wird von der Bevölkerung als "Park" benützt.

D'après son étendue, Oslo est une capitale de grande dimension. De vastes régions forestières se situent en dedans des limites de la ville, de sorte que le centre géographique se trouve en dehors des régions habitées. Les forêts qui entourent Oslo sont magnifiques, et un vrai «parc» pour la population de la ville.

I Norge holdes skiløpingens kunst for å være viktig. Den oppvoksende generasjon blir tatt med for å lære å gå på ski fra meget ung alder, men opplevelsen av Norge i vinterdrakt skal også gi forståelse for verdien av å bevare naturen.

Skiing is held in high esteem by Norwegians, and boys and girls are taught the art at a very early age. But there is more to it than that: the joys of winter and of skiing also help to endow youngsters with an appreciation of the importance of preserving the irreplaceable natural environment to which they are heir.

In Norwegen wird die Kunst des Skilaufens für wichtig gehalten. Die heranwachsende Generation wird von klein auf mitgenommen um das Skifahren zu lernen, aber Norwegen in winterlicher Verkleidung zu erleben soll außerdem dazu beitragen, zu sehen, wie wichtig es ist die Natur zu bewahren.

En Norvège, la maîtrise du ski est considérée comme étant très importante. Dès leur plus tendre âge, on emmène la jeune génération pour leur apprendre à faire du ski et leur donner l'expérience d'une nature vêtue de blanc, leur enseignant ainsi l'importance de la protéger.

*Vinterens venner i Oslo-området venter utålmodig på snøfall og skiføret fra oktober måned. Når forholdene er gode, strømmer friluftsfolket ut i marka. På de mange idyllisk beliggende skihyttene kan man samle energi til hjemveien.*

*From October onwards Oslo's winter-sports enthusiasts impatiently await the coming of snow. Once conditions are favourable, people stream out of the city in their thousands, to make their way into the forest-clad hills, hills dotted with timber-built lodges where skiers can rest and buy refreshments before turning for home.*

Die Winterfreunde im Gebiet um Oslo warten von Oktober ab ungeduldig auf Schneefall und gute Schneeverhältnisse zum Skilaufen. Wenn die Schneeverhältniße gut sind, strömen die Naturfreunde in die Waldgebiete. Auf den vielen idyllisch gelegenen Skihütten kann man Energie für den Heimweg sammeln.

Dès le mois d'octobre, les amis de l'hiver de la région d'Oslo attendent la première neige avec impatience, pour s'adonner à leur sport préféré. Quand la glisse et les conditions sont bonnes, les amateurs du plein-air envahissent les forêts. Dans un des nombreux refuges idylliques, ils peuvent faire le plein d'énergie pour le chemin de retour.

Rundt hovedstaden finnes tusenvis av kilometer med oppmerkede løyper i vakker natur. Skiforeningen har i mer enn hundre år tilrettelagt forholdene, og opptil 100 000 mennesker tilbringer vintersøndagen i disse skogsområdene.

The forests encircling the capital are interlaced with well-prepared and signposted ski trails. For more than a century Norges Skiforening, the national skiing association, has devoted itself to the creation and maintenance of first-class skiing facilities, and on winter Sundays there are often more than 100,000 people at a time disporting themselves in the forests.

Um die Hauptstadt herum gibt es Tausende von Kilometern mit gekennzeichneten Loipen in schöner Natur. Der Skiverein hat seit mehr als hundert Jahren die Verhältniße zurechtgelegt, und bis zu 100 000 Menschen verbringen die Wintersonntage in diesen Waldgebieten.

La capitale est entourée des milliers de kilomètres de pistes de ski marquées dans une nature magnifique. La Fédération Nationale du Ski prépare ces pistes depuis plus de cent ans, et en hiver, jusqu'à 100 000 personnes y passent leurs dimanches.

# Lillehammer-området
## – den olympiske del av Norge

I Lillehammer, vertsbyen for den XVII. vinterolympiade i 1994, finnes noen av de mest moderne skianlegg i verden, og vintersportsområdene hører til de beste i landet. For dem som ønsker fart og spenning i olympiaklassen, står valget mellom bob- og akebanen utenfor byen og den alpine utforløypa på Kvitfjell. De mer moderate alpinister vil finne at Hafjells brede løypeutvalg tilbyr tilstrekkelig utfordring og de vinteropplevelser man søker.

Området rundt Lillehammer er et vintereldorado som tilbyr alt en kresen skiløper kan drømme om: vakre og majestetiske fjell, utstrakte vidder og skogbevokste daler. Jotunheimen, Norges høyestliggende fjellparti, har navn etter trollenes slektninger – de uhyggelige og kjempemessige fabelvesener fra den norrøne mytologien. I Rondane kan man gå milelange skiturer, mens skogsbygda Trysil har gode tilbud både for alpinister og turløpere.

In Lillehammer, the host town of the XVIIth Winter Olympics in 1994, you can find some of the most up-to-date skiing arenas in the world, and the wintersports facilities are among the best in the country. Those in search of Olympic-class thrills can choose between luge and bobsleigh tracks outside the town and the downhill ski track at Kvitfjell. Less ambitious alpine skiers will find that the wide selection of tracks at Hafjell provides all the challenges they desire.

The area around Lillehammer is a winter paradise of majestic mountains, rolling hills and tree-clad valleys. Jotunheimen, the highest mountain massif in Norway, takes its name from the relatives of the 'trolls', the formidable giant fairy-tale creatures from Norse mythology. In the Rondane range one can ski for miles, whilst the forests of Trysil are ideal for alpine and cross-country enthusiasts alike.

In Lillehammer, die Gastgeberstadt für die XVII Winterolympiade 1994, gibt es einige der modernsten Skianlagen der Welt, und die Wintersportgebiete gehören zu den besten des Landes. Wer Tempo und Spannung auf Olympiadeniveau sucht, kann zwischen der Bob- und Rodelbahn außerhalb der Stadt und der Abfahrtspiste in Kvitfjell wählen.

Die Umgebung von Lillehammer ist ein Wintereldorado, das alles zu bieten hat wovon ein anspruchsvoller Skiläufer träumen kann: große und majestatische Berge, langgestreckte Ebenen und waldreiche Täler. Jotunheimen, die am höchsten gelegene Gebirgskette Norwegens, ist nach den Verwandten der Trolle – den unheimlichen und riesenhaften Fabelwesen der altnordischen Mythologie – benannt. In Rondane kann man kilometerlange Skitouren machen. Dasselbe gilt für die Waldgemeinde Trysil, die auch alpinen Skiläufern gute Möglichkeiten bietet.

Dans Lillehammer, la ville hôtesse des XVII Jeux Olympiques d'hiver de 1994, se trouvent des installations de sports d'hiver, rangeant parmi les plus modernes du monde, et les terrains de sports et de récréations d'hiver sont les meilleurs du pays. Ceux qui désirent la vitesse et le suspens olympiques, ont le choix entre la piste de bob et de toboggan à l'extérieur de la ville, et la descente alpiniste du Kvitfjell. Pour les alpinistes plus modérés, le grand choix de pistes à Hafjell présentera assez de défis.

La région autour de Lillehammer est un eldorado d'hiver: montagnes majestueuses, de vastes haut-plateaux et des vallées couvertes de forêts. Le Jotunheimen doit son nom aux Jotuns, de la famille des Trolls, ces géants effrayants de la mythologie nordique. Le massif des Rondane offre des possibilités pour de longues randonnées à ski, tandis que les forêts de la région du Trysil attendent les alpinistes et les skieurs de fond.

Før Lillehammer ble olympiaby, var den først og fremst kjent for sin vakre, gamle trehusbebyggelse. I forbindelse med OL i 1994 har Lillehammer fått en rekke nye idrettsanlegg og severdigheter. Friluftsmuseet på Maihaugen har stavkirke og gamle gårdsanlegg, og er en idyll i vinterdrakt.

Before Lillehammer was designated the venue of the XVII Winter Olympics, its chief claim to fame was its picturesque old wooden houses. Now, however, thanks to the Games, it boasts a raft of new sports arenas, in addition to other notable attractions. Exhibits at the open-air museum at Maihaugen include a mediaeval stave church and old wooden farm buildings illustrative of life in rural Norway in years gone by. Delightful in summer, Maihaugen is even more enchanting in winter garb.

Bevor die Stadt Lillehammer Olympiadestadt wurde, war sie vor allem wegen ihrer schönen, alten Holzhäuser berühmt. In Verbindung mit der Olympiade 1994 hat Lillehammer eine Reihe neuer Sportanlagen und Sehenswürdigkeiten bekommen. Das Freiluftmuseum in Maihaugen hat eine Stabkirche und alte Hofanlagen und ist ein Idyll in winterlicher Verkleidung.

Avant que Lillehammer ne devienne ville olympique, elle était avant tout connue pour ses belles et vieilles maisons en bois. Pour les Jeux Olympiques de 1994, Lillehammer a fait construire de nouvelles installations sportives et des attractions touristiques. Au musée de plein-air de Maihaugen, son église en bois debout et ses anciennes fermes norvégiennes présentent un aspect idyllique en hiver.

I Lillehammer-området går Norges mest tradisjonsrike turrenn, Birkebeineren. 12 kilometer fra olympiabyen ligger Nordseter med hytter og merkede skiløyper. Nabostedet Gausdal gir et inntrykk av hvordan en tradisjonell norsk bygd tar seg ut om vinteren.

Every other year, 'Birkebeineren', the most famous and long-standing of all Norway's cross-country skiing competitions, starts at Lillehammer. A highly popular event, it attracts thousands of ordinary skiers, not only champi-

ons. Twelve kilometres beyond Lillehammer, and a little higher up, lies Nordseter, with its many holiday cabins and network of marked ski trails. Neighbouring Gausdal provides an illuminating glimpse of a traditional Norwegian farming valley in winter.

Bei Lillehammer startet Norwegens traditionsreichster Tourenlauf, Birkebeineren. Zwölf km von der Olympiastadt liegt Nordseter mit Hütten und gekennzeichneten Skiloipen. Der

Nachbarort Gausdal vermittelt einen Eindruck, wie eine traditionelle norwegische Landgemeinde im Winter aussieht.

La course des Birkebeiner, une course en ski traditionelle, prend son départ à Lillehammer. Nordseter, avec ses chalets privés et ses pistes marquées, se situe à 12 km de la ville olympique. La communauté de Gausdal, dans le voisinage, vous donne une idée d'un village norvégien sous la neige.

*Vinterolympiaden på Lillehammer har fått en enestående stor oppmerksomhet i Norge. De nasjonale favorittdisipliner har tradisjonelt vært langrenn og hopp, men de alpine grener har kommet for fullt de siste årene.*

*The Winter Olympics held in Lillehammer have engendered enormous interest all over Norway. The nation's strongest winter-sports disciplines were long cross-country skiing and ski jumping, but in recent years Norwegian skiers have increasingly come to the fore in alpine events too.*

*Die Winterolympiade in Lillehammer hat in Norwegen eine außerordentlich große Aufmerksamkeit erweckt. Traditionsgemäß sind Langlauf und Skispringen die nationalen Favoritdisziplinen gewesen, aber alpine Disziplinen des Skisports haben in den letzten Jahren auch großen Anklang gefunden.*

*Les Jeux Olympiques d'hiver à Lillehammer ont attiré un intérêt exceptionnel en Norvège. Les disciplines sportives nationales préférées sont, par tradition, le ski de fond et le saut du tremplin, mais les dernières années les disciplines alpines commencent à reprendre pied.*

Et av de mest storslagne fjellandska-
per Norge kan by på, er Rondane
Nasjonalpark. Mange skiløpere nyter
den vakre naturen i området om vin-
teren, og i de siste årene har det vært
tilrettelagt for lengre skiturer fra hyt-
te til hytte med servering og overnat-
ting.

Some of the most magnificent mountain scenery in Norway is to be found in Rondane National Park. The area has always been popular with skiers, but in recent years, with the building of strategically located cabins offering food and lodging, it has become possible to make long trips without having to sleep rough.

Eine der großartigsten Gebirgslandschaften, die Norwegen zu bieten hat, ist Rondane Nasjonalpark. Viele Skiläufer genießen die schöne Natur in diesem Gebiet im Winter, und in den letzten Jahren hat man die Verhältnisse für lange Skitouren von Hütte zu Hütte mit Servierung und Übernachtung zurechtgelegt.

Le parc national du massif des Rondane est un des paysages panoramiques les plus grandioses de Norvège. En hiver, beaucoup de skieurs profitent de cette nature magnifique, et les dernières années des pistes ont été aménagées pour permettre de longues randonnées de refuge en refuge.

*Galdhøpiggen i Jotunheimen er normalt et lite egnet sted for selskapelighet, men i godvær kan også landets høyeste fjelltopp være et brukbart sted for grillparty! I Jotunheimen ligger en rekke fjelltopper som er mer enn 2000 meter høye. I dette området har den norske kongefamilien hytte, hvor de tilbringer sine vinterferierer.*

*The summit of Galdhøpiggen in the Jotunheimen mountains is not a place one would normally associate with social activities, but in good weather it makes an inspiring setting for a barbeque. The Jotunheimen massif boasts several summits in excess of 2000 metres, but Galdhøpiggen is the highest. The Norwegian Royal Family have a cabin in the area and regularly spend their winter holidays there.*

*Galdhøpiggen in Jotunheimen ist normalerweise für Gesellschaften wenig geeignet, aber bei schönem Wetter kann auch die höchste Gebirgsspitze des Landes ein geeigneter Platz für eine Grillparty sein. In Jotunheimen liegen eine Reihe von Gebirgsspitzen, die mehr als 2000 m hoch sind. In diesem Gebiet hat die norwegische Königsfamilie eine Hütte wo sie ihre Winterferien verbringt.*

*Le pic de Galhøpiggen dans le massif de Jotunheimen n'est pas un endroit qui convient normalement aux réunions amicales. Mais quand il fait beau, le sommet le plus élevé du pays peut servir comme lieu pour un barbecue. Dans ce massif se trouvent plusieurs sommets de plus de 2 000 m de haut, et c'est dans cette région que la famille royale de Norvège a son châlet privé, où elle passe ses vacances d'hiver.*

*Grenseområdet mot Sverige er et eldorado for vintersport, med brede daler, dype skoger og islagte vann. Et av de mest kjente turiststedene i denne østlige del av Troll Park, er Trysil. Her kan skiløpere i alle aldersgrupper glede seg over glimrende forhold.*

*In winter, the area bordering on Sweden, an expanse of wide valleys, deep forests and frozen lakes, is a skier's paradise. One of the best-known tourist centres in this, the eastern part of Troll Park, is Trysil, where people of all ages flock to enjoy the excellent skiing.*

*Das Grenzgebiet gegen Schweden ist ein Eldoroda für Wintersport, mit breiten Tälern, tiefen Wäldern und vereisten Seen. Einer der bekanntesten Touristenorte in diesem östlichen Teil von Troll Park ist Trysil. Hier können sich Skiläufer in allen Altersklassen ausgezeichneter Verhältnisse erfreuen.*

*La région vers la frontière suédoise, avec ses vallées larges, ses forêts profondes et ses lacs gelés, est un eldorado pour les sports d'hiver. Un des lieux touristiques les plus connus dans la partie est du Parc des Trolls, est le Trysil. Ici, les skieurs de tout âge peuvent profiter d'excellentes conditions sportives.*

# Eventyr i vinterland

Dalførene Hallingdal, Numedal og Valdres er kjerneområder i norsk vinterturisme. I fjellområdene omkring finnes det et stort antall hytter, og mange brukes først og fremst i vinterhalvåret. Lange turer innover fjellet på ski frister ekstra sterkt når solen skinner og pigmentene i huden lokkes frem. På Geilo, som ligger øverst i Hallingdal mot Hardangervidda, møtes skientusiaster fra hele Sør-Norge til felles gleder i slalåmbakkene. Hemsedal frister med gode løyper og store høydeforskjeller i et utpreget alpint naturmiljø.

Nordmenns påsketradisjoner er en særegen side ved den norske friluftslivskulturen. Mange tilbringer mer enn en uke i fjellet og vender tilbake til «sivilisasjonen» med påskebrune ansikter. Det sosiale livet står også sentralt i nordmenns påskeferieliv, og mange oppsøker diskoteker og restauranter. Høydepunktet for mange er de årlige påskeskirenn, da folk kler seg i karnevalsdrakter.

The Hallingdal, Numedal and Valdres valleys are Norway's main areas for winter tourism. The surrounding mountain ranges are dotted with countless «hytter» (cabins), many specially designed for winter use. At Geilo, deep in the Hallingdal valley, on the edge of the Hardanger plateau, skiers from all over southern Norway meet to share the delights of skiing. Hemsedal, a truly alpine resort, is another popular rendezvous with skiers, blessed as it is with a range of runs suitable for every degree of proficiency.

Easter is traditionally a very special holiday for Norwegians. At the end of the winter season, many people spend more than a week in the mountains, returning home with enviable suntans. The Easter holiday is also a wonderful opportunity to enjoy the hectic social life of the mountain resorts, with their discos and restaurants. It often culminates in a skiing competition where fancy dress is the order of the day.

Die Täler Hallingdal, Numedal und Valdres sind die Hauptgebiete des norwegischen Winterfremdenverkehrs. Lange Skiwanderungen im Gebirge wirken besonders verlockend wenn die Sonne strahlt und die Pigmente in der Haut hervorzaubert. In Geilo, das am oberen Ende von Hallingdal in Richtung der Hardangervidda liegt, treffen sich Skienthusiasten aus ganz Südnorwegen um an den gemeinsamen Freuden auf der Slalompiste teilzunehmen. Hemsedal lockt mit guten Loipen und großen Höhenunterschieden in einer ausgeprägt alpinen Naturumgebung.

Die Ostern spielt eine besondere Rolle in der Freiluftkultur der Norweger. Viele verbringen mehr als eine Woche im Gebirge und kehren mit vom österlichen Wetter gebräunten Gesichtern in die Zivilisation zurück. Ostern ist auch ein gesellschaftliches Ereignis in Norwegen. Den Höhepunkt bietet das alljährliche Osterskirennen in Karnevalskostümen.

Les vallées de Hallingdal, Numedal et Valdres sont des centres essentiels du tourisme en Norvège. Un grand nombre de châlets privés sont situés dans les montagnes qui entourent ces vallées. Les longues randonnées de ski en montagne sont tout spécialement attractives quand le soleil brille et fait bronzer les visages. Les enthousiastes du ski se retrouvent à Geilo dans le Hallingdal, à l'entrée du haut-plateau de Hardanger («Hardangervidda»). Les attractions spéciales du Hemsedal sont les excellentes pistes et les grandes différences d'altitude dan un milieu alpin.

Durant les fêtes de Pâques, certains passent plus d'une semaine en montagne, et reviennent à la "civilisation" le visage hâlé par le fameux "bronzage de Pâques". La vie sociale prend aussi une place importante pendant les vacances de Pâques des norvégiens. On fréquente les restaurants et les discothèques. Les compétitions de ski en costumes de carnaval sont souvent l'apogée des célébrations.

For en ivrig fotograf er den norske
vinter en unik og spennende verden,
med spesielle lysforhold og vakre,
snødekkede landskaper.

To the keen photographer, the Nor-
wegian winter is a unique and exci-
ting world, thanks to the singular
quality of the light and the loveliness
of the snow-covered landscapes.

Für einen eifrigen Fotografen stellt
der norwegische Winter eine einzigar-
tige und besondere Welt  dar, mit
speziellen  Lichtverhältnissen  und
schönen, schneebedeckten Landschaf-
ten.

Pour un photographe fervent, l'hiver
norvégien est un monde unique et
captivant, avec sa lumière exception-
nelle et ses paysages magnifiques sous
la neige.

I Hemsedal har naturen lagt forholdene til rette for alpinister. Gjennom en årrekke har Hemsedal Skisenter videreutviklet dette grunnlaget og presenterer i dag et av de mest attraktive alpinanlegg i Norge for sine mange gjester. I tillegg til velpleide traseer finnes det unike muligheter for løssnøkjøring.

The slopes of the Hemsedal valley are ideal for alpine skiing. For years the Hemsedal Skiing Centre has developed the region for winter sports, with the result that it is now one of the most attractive centres of alpine skiing in Norway. In addition to many well-prepared runs, Hemsedal offers plentiful opportunities for off-the-piste skiing.

In Hemsedal hat die Natur die Verhältnisse für alpine Skiläufer zurechtgelegt. Viele Jahre hindurch hat Hemsedal Skisenter diese Grundlage weiterentwickelt und kann heute seinen vielen Gästen eine der attraktivsten Alpinanlagen präsentieren. Außer gut gepflegten Traßen gibt es einzigartige Möglichkeiten in losem Schnee Ski zu fahren.

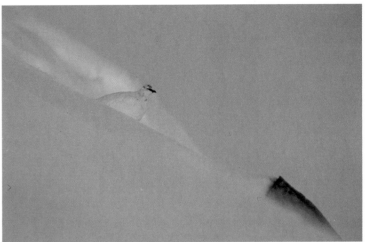

Dans la vallée de Hemsedal, la nature
a été propice aux alpinistes. Depuis
des années, le centre de ski de Hemse-
dal a perfectionné cette base naturelle,
et présente aujourd'hui aux visiteurs
une des stations de sport alpin des
plus attrayantes de Norvège. En plus
des pistes bien soignées, il existe des
possibilités uniques pour les fervents
des descentes hors-piste.

Et av kjerneområdene i den norske hyttekulturen er Hallingdal. De mange hotellgjester og hyttefolk på Golsfjellet kan glede seg over en lang skisesong i et glimrende terreng. Turene gir naturopplevelser og kroppslig velvære, og for dem som i tillegg ønsker sjelebot, finnes det også en fjellkirke.

The nucleus of Norway's cabin culture is the Hallingdal valley and the mountains round about. Here, visitors staying at the many hotels and cabins may enjoy a long winter season in delightful natural surroundings. The ski trails twist and turn to provide enchanting views of the countryside and ample opportunities for physical exercise. There is also a mountain church for those seeking spiritual well-being.

Eines der Kerngebiete der norwegischen Hüttenkultur ist Hallingdal. Die vielen Hotelgäste und die Hüttenbewohner können sich in Golsfjellet über eine lange Skisaison in einem ausgezeichneten Gelände freuen. Die Touren geben Naturerlebnisse und körperliches Wohlbefinden, und für diejenigen, die außerdem noch Seelenfrieden suchen, gibt es auch eine Gebirgskirche.

La vallée de Hallingdal est un centre essentiel pour cultiver la vie en châlet. Les nombreux touristes logés dans les hôtels et les propriétaires des châlets de montagne de la région de Gol, peuvent profiter d'une longue saison de ski dans un terrain remarquable. Les randonnées donnent le bien-être et l'expérience de la nature, et pour ceux qui désirent prendre soin de leur âme, il y a aussi une chapelle de haute montagne.

*Den tradisjonelle norske påskefei-*
*ringen varer fra Palmelørdag til 2.*
*påskedag, og skal fortrinnsvis henleg-*
*ges til fjellet. For å kunne betegne en*
*påske som vellykket, skal den inne-*
*holde hyttekos, festligheter og skitu-*
*rer, men fremfor alt er det viktig å bli*
*brun!*

*Easter in Norway traditionally*
*extends from Palm Sunday to Easter*
*Monday, a holiday which many peo-*
*ple spend in the mountains. For such*
*a holiday to be rated successful, it*
*should include life in a cabin, social*
*get-togethers and, of course, skiing -*
*but most important of all is to come*
*home with a tan!*

*Das traditionelle Feiern in Verbind-*
*ung mit Ostern dauert in Norwegen*
*von Palmsamstag bis zum zweiten*
*Osterfeiertag und spielt sich haupt-*
*sächlich im Gebirge ab. Um das*
*Osterfest als wohlgelungen bezeich-*
*nen zu können, muß es Gemütlichkeit*
*auf der Hütte, Feste und Skitouren*
*enthalten, aber hauptsächlich muß*
*man braun werden!*

*En Norvège, la célébration tradition-*
*nelle de Pâques dure du samedi des*
*Rameaux jusqu'au second jour de*
*Pâques, et doit de préférence se passer*
*en montagne. Une semaine de Pâques*
*bien réussie doit comprendre les plai-*
*sirs de la vie en châlet, la célébration*
*des fêtes et les randonnées en ski,*
*mais le plus important de tout est de*
*rentrer bronzé!*

Den store utfarten til fjellet ved påsketider koster hvert år menneskeliv. Været kan by på overraskelser, og det er viktig å være forberedt på det verste. Godt utstyr betyr solbriller, mat, ekstra klær og spade til å grave seg ned med. På Golsfjellet i Hallingdal har fjellredningstjenesten sitt hovedkvarter.

With so many people in the mountains in winter, now and again accidents, some of them fatal, are inevitable, especially as the weather is so unpredictable. It is therefore essential to be prepared for every eventuality: sunglasses, food, extra clothing and a spade with which to dig a shelter are musts. The headquarters of Norway's mountain rescue service are located in the mountains, near Gol in the Hallingdal valley.

Die große Ausfahrt ins Gebirge zur Osterzeit kostet jedes Jahr Menschenleben. Das Wetter kann Überraschungen bieten, und es ist wichtig, auf das Schlimmste vorbereitet zu sein. Eine gute Ausrüstung bedeutet Sonnenbrillen, Essen, extra Kleidung und einen Spaten, damit man sich eingraben kann. In Golsfjellet in Hallingdal hat der Gebirgsrettungsdienst sein Hauptquartier.

Chaque année, la ruée vers la montagne aux environs de Pâques coûte des vies humaines. Le temps peut offrir bien des surprises, et il est important d'être préparé pour le pire. Un bon équipement comprend des lunettes de soleil, des provisions, des vêtements supplémentaires et une pelle pour creuser un abri dans la neige. Le quartier général du service de secours de montagne est dans les montagnes de Gol dans la vallée de Hallingdal.

*Kravene til service er ofte større for alpinister enn for turfolk, og på Geilo øverst i Hallingdal finnes flere gode hoteller i tilknytning til slalåmanleggene. På Finse feires Norges nasjonaldag, den17. mai, i ekte norske vinteromgivelser.*

*Alpine skiers tend to demand a higher standard of service than the average ski tourer, and at Geilo, high up in the Hallingdal valley, their needs are well catered for by a variety of good hotels and a wide range of slalom courses. Though a harbinger of spring, at Finse Norway's Constitution Day (17 May) is celebrated in an authentic winter setting.*

*Die Ansprüche in Bezug auf Dienstleistungen sind bei alpinen Skiläufern oft größer als bei Leuten, die Skiwanderungen machen. In Geilo, ganz oben in Hallingdal, gibt es auch Hotels in Verbindung mit den Slalomanlagen. In Finse feiert man Norwegens Nationaltag, den 17. Mai, in echter norwegischer Gebirgsumgebung.*

*Quant au service, les alpininstes sont souvent plus exigeants que les randonneurs, et à Geilo dans la vallée de Hallingdal, on trouve d'excellents hôtels rattachés aux centres alpins. A Finse, la fête nationale de la Norvège est célébrée le 17 mai en montagne, dans un entourage des plus norvégiens.*

# Telemarksving og skifolklore

Sondre Norheim fra Morgedal i Telemark har et navn som glitrer i Norges tradisjonsrike skihistorie. Sondres demonstrasjon av skiteknikk innebar et avgjørende fremskritt i utviklingen av den moderne skiløping fra 1860-årene. Den nye svingteknikken gjorde skiløpingen flottere å se på, men var også en forutsetning for utviklingen av slalåmsporten. Det såkalte Telemarknedslaget i hoppsporten er også knyttet til skimiljøet i Morgedal.

Telemarksvingen erobret verden, men først i 1980-årene satte unge entusiaster fra USA for alvor Telemark på verdens skikart. I jakten på skisportens røtter fant de frem til den gamle skikulturen fra Telemark. Vår tids sans for tradisjoner førte til at både skiteknikk og gamle drakter kom til heder og verdighet igjen. I Norge har Telemark-skiing og draktfolkloren slått an, både som idrett og mote. Norges offisielle skidrakter til Albertville-OL i 1992 og Lillehammer-OL i 1994 var tydelig inspirert av tradisjonelle folkloreelementer.

Sondre Norheim from Morgedal in Telemark occupies an outstanding place in the history of skiing. Norheim's demonstrations of advanced skiing techniques in the 1860s represented a milestone in the evolution of modern skiing. His new turn made skiing more attractive to watch and was also a contributory factor in the development of the sport of slalom. Skijumping's «Telemark finish» likewise evolved in the hillsides of Morgedal.

In the 1980's searching for the roots of skiing, young American skiers rediscovered the old Telemark technique. Modern concern with traditions has led to increased interest in early skiing techniques and national dress, and in Norway Telemark turns and costumes of 19th-century have again come into their own. The Norwegian contestants at the Winter Olympics at Albertville in 1992 and the Lillehammer games in 1994 were clearly inspired by traditional national dress.

Sondre Norheim aus Morgedal in Telemark hat einen leuchtenden Namen in der traditionsreichen Skigeschichte Norwegens. Sondres Demonstration der Skitechnik bedeutete einen entscheidenden Fortschritt in der Entwicklung des modernen Skiläufens ab 1860. Die neue Kurventechnik machte das Skiläufen eleganter und war gleichzeitig eine Voraussetzung für die Entwicklung des Slalomsports. Der sogenannte Telemarkaufsprung beim Skispringen ist auch mit dem Skimilien in Morgedal verbunden.

Der Telemarkschwung eroberte die Welt, aber erst in den achtziger Jahren rückten junge Enthusiasten aus den USA Telemarks Verdienste in Bezug auf den Skisport ins rechte Licht. Auf der Jagd nach den Wurzeln des Skisports fanden sie zu der alten Skikultur aus Telemark zurück. Der Sinn unserer Zeit für Traditionen führte dazu, daß sowohl Skitechnik als auch alte Kostüme wieder zu Ehren kamen.

Le nom de Sondre Norheim de la vallée de Morgedal dans le Telemark luit dans l'histoire du ski de la Norvège, si riche en traditions. Les démonstrations des habiletés techniques en ski que Sondre donna déjà en 1860, représentèrent un progrès important dans l'évolution du sport du ski moderne. La nouvelle technique des virages rendit le ski plus impressionnant, mais fut aussi essentielle pour l'évolution du slalom. La "réception du Telemark" dans le saut sur skis est aussi attachée au milieu de ski à Morgedal.

Le virage du Telemark conquit le monde, mais ce ne fut qu'à partir de 1980 que de jeunes enthousiastes des Etats-Unis mirent le Telemark sur la carte mondiale du ski. En recherchant les origines du ski, ils découvrirent la vieille culture de ski du Telemark. Le sens de la tradition de nos jours fit de sorte que la technique de ski ainsi que les vieux costumes ont retrouvé leur prestige. Le style de ski du Telements folkloriques traditionnels.

Morgedølene er med rette stolte over sin store skihelt Sondre Norheim. Flere museer og minnesmerker i bygda sørger for å holde tradisjonen levende, og i Sondres stue i Morgedal er den olympiske ild til vinterlekene blitt tent flere ganger, senest til Lillehammer-OL i 1994.

The people of the Morgedal valley are justifiably proud of their local ski champion, Sondre Norheim. Various museums and monuments in the valley serve to keep his memory alive, and the Olympic torch has more than once - most recently in 1994, when Lillehammer hosted the Winter Games - been lit at Sondre's home in Morgedal.

Die Einwohner von Morgedal haben Grund auf ihren großen Skihelden Sondre Norheim stolz zu sein. Mehrere Museen und Gedenkstätten in der Landgemeinde tragen dazu bei, die Traditionen lebendig zu erhalten. In Sondres kleinem Wohnhaus in Morgedal ist das olympische Feuer für die

Winterspiele mehrmals entzündet worden, zuletzt für die Olympiade in Lillehammer 1994.

Les habitants de la vallée de Morgedal sont très fiers de leur héros, le skieur Sondre Norheim. Différents musées et monuments de la communauté tiennent la tradition vivante, et dans la petite chaumière de Sondre à Morgedal, la flamme olympique des jeux d'hiver a été allumée plusieurs fois, en dernier lieu pour les Jeux Olympiques de Lillehammer en 1994.

Ordet slalåm har sine røtter i Telemark, og det kuperte terrenget har alltid stimulert til utforkjøring og skilek. Telemarks mest markante fjell er den majestetiske Gaustatoppen.

'Slalom' is derived from the Norwegian word 'slalåm' (literally 'sloping track'), which in turn is rooted in the dialect of Telemark, where the hilly terrain has always encouraged skiing, and downhill skiing in particular. Telemark's most striking summit is majestic Gaustatoppen.

Das Wort Slalom hat seine Wurzeln in Telemark, und das hügelige Gelände hat immer zu Abfahrtsläufen und Skispielen angeregt. Telemarks markantestes Gebirge ist der majestätische Gaustatoppen.

Le mot "slalom" a ses racines au Telemark, et le terrain accidenté de ce paysage a toujours encouragé les descentes et les jeux en ski. La montagne la plus marquante du Telemark est le sommet majestueux de Gausta.

Innlandets stabile og tørre vintre er en viktig årsak til at Norges tradisjonelle tømmerhus fortsatt finnes i stort antall. Stavkirkene har stått mot vær og vind siden middelalderen.

The equable, dry winters of the interior are an important reason why there are still so many old-style log houses and cabins in Norway. The stave churches, for example, have withstood the ravages of wind and weather since the Middle Ages.

Die stabilen und trockenen Winter im Inland sind eine wichtige Ursache dazu, daß es Norwegens traditionelle Rundholzhäuser weiterhin in großer Anzahl gibt. Die Stabkirchen haben seit dem Mittelalter Wind und Wetter getrotzt.

A l'intérieur du pays les hivers sont stables et secs, un fait qui assure en partie une bonne conservation des vieilles maisons en rondins, qui existent toujours en grand nombre. Les églises en bois debout résistent aux intempéries depuis le moyen-âge.

Telemark-skiløpingens svingteknikk går ut på å bøye knærne, sette ett ben foran det andre og legge tyngdepunktet inn i svingen. I Norge er denne skidisiplinen blitt meget populær, og i enkelte alpinanlegg finnes det snart flere «Telemarkere» enn slalåmkjørere.

The Telemark turn, which takes its name from the district in which it evolved, is performed by bending the knees, sliding one ski ahead of the other, and leaning the weight of the body into the turn. In Norway this technique has recently gained renewed popularity, and on some slopes there will soon be more 'Telemark turners' than exponents of standard slalom.

Die Kurventechnik, die man Telemark-skiing nennt, fordert, daß man die Knie beugt, ein Bein vor das andere setzt und den Schwerpunkt in die Kurve legt. In Norwegen ist diese Skidisziplin sehr beliebt, und in einzelnen Alpinanlagen gibt es bald mehrere "Telemarkere" als Slalomfahrer.

La technique du virage du Telemark consiste à fléchir les genoux, poser un pied devant l'autre tout en mettant son centre de gravité dans le virage. Cette discipline est devenue très populaire en Norvège, et dans certains centres alpins les "Telemarkiens" sont plus nombreux que ceux qui font du slalom.

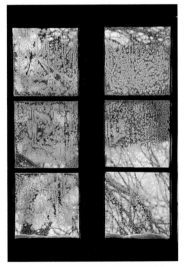

De tradisjonelle norske tømmerhusene er gode boliger i kulde og vintervær. Innendørs sørger jernovner og peiser for varmen, og det er en spesiell opplevelse å betrakte vinterens skjønnhet gjennom gamle stuevinduer.

Norway's traditional wooden buildings are ideal for winter weather. Indoors, cast-iron stoves and open fireplaces keep the rooms cosy and warm, and there is something extra captivating about viewing the beauty of a winter landscape through the panes of an old-style window.

Die traditionellen, norwegischen Rundholzhäuser sind gute Wohnungen in Kälte und Winterwetter. Innerhalb des Hauses sorgen Eisenöfen und Kamine für Wärme, und es ist ein besonderes Erlebnis die Schönheit des Winters durch alte Stubenfenster zu betrachten.

Les maisons traditionnelles en rondins sont des demeures qui protègent très bien contre le froid et les intempéries hivernales. A l'intérieur, on chauffe avec des poêles en fonte et des cheminées, et pouvoir admirer la beauté d'un paysage hivernal à travers ces vieilles vitres est certainement une expérience toute particulière.

# Sommersnø og helårsis

Den norske vestkyst er først og fremst berømt for fagre fjorder og ville fjell. Fjordarmene er omkranset av frodig vegetasjon, og mange steder går fjellveggene helt opp til den evige is og snø. Mellom indre Nordfjord og indre Sogn ligger den største isbreen på det europeiske fastland, Jostedalsbreen. Klatreturer og fotturer på isbreene gir turistene muligheten til å oppleve en sommeraktivitet med vintersmak. Omkranset av mektig natur går vandringen over hvit snø og eviggrønn is, og byr på opplevelser som sent glemmes.

Innerst inne i en av Sognefjordens mange fjordarmer velter Briksdalsbreen seg over fjellkanten. Her ligger Bremuseet i Fjærland, hvor man kan vandre «under isen», studere isformasjoner, vannkraftutbygging og geologi. Sommerskisenteret på Stryn er av de beste i Europa, med ypperlige snøforhold. Her oppe på Norges tak står verdenseliten på ski, side om side med den jevne skiløper.

The west coast of Norway is noted the world over for its beautiful fjords and wild mountains. The innermost fjord arms are surrounded by luxuriant vegetation, whereas elsewhere the mountain walls rise sheer from the water, climbing hundreds of metres to a realm of eternal ice and snow. The largest glacier on the European mainland, Jostedalsbreen, is located between inner Nordfjord and inner Sogn. Tourists can climb in the mountains and take guided walks on the glaciers – a unique opportunity to combine summer activities with a taste of winter.

Deep within one of the many arms of the Sogne fjord, the Briksdal glacier thrusts its icy fingers down from the crest of the mountain to the sea. Here you will find the Glacier Museum at Fjærland, where you may walk 'beneath the ice', study geology, ice formations and power-plant developments. The Summer Ski Centre at Stryn is one of the very best in Europe.

Die norwegische Westküste ist hauptsächlich wegen ihrer schönen Fjorde und vielen Gebirge berühmt. Die Fjordarme sind von üppiger Vegetation umgeben. Zwischen dem inneren Nordfjord – und dem inneren Sogngebiet liegt der größte Gletscher des europäischen Festlandes, Jostedalsbreen. Klettern und Fußwanderungen auf den Gletschern geben den Touristen Gelegenheit, eine Sommeraktivität mit Wintergeschmack zu erleben.

Zutiefst innen in einem der vielen Flußarme des Sognefjords wälzt sich Briksdalsbreen über die Bergkante. Hier liegt Bremuseet (das Gletschermuseet) in Fjärland. Man kann hier "unter dem Eis" wandern, Eisformationen, Wasserkraftnutzung und Geologie studieren. Das Sommerskizentrum in Stryn ist eines der besten in Europa, mit ausgezeichneten Schneeverhältnissen. Hier oben auf dem Dach Norwegens fährt die Weltelite Ski, Seite an Seite mit dem Hobby- Skifahrer.

La côte ouest de la Norvège est avant tout réputée pour ses fjords magnifiques et ses montagnes sauvages. Les bras des fjords sont entourés d'une riche végétation, et les parois des montagnes montent souvent jusqu'aux neiges et glaces éternelles. Entre l'intérieur de la région du Norfjord et celle du Sogn se trouve le plus grand glacier du continent européen, le "Jostedalsbreen". L'ascension et les randonnées sur les glaciers donnent aux touristes la possibilité d'une activité estivale avec le goût de l'hiver.

Au glacier du Briksdal se trouve le Musée du Glacier de Fjærland, où l'on peut marcher "sous la glace" et étudier de près les formations de glace, la géologie et le développement des centrales électriques. Le Centre de Ski Estival à Stryn est un des plus réputés d'Europe, et les conditions de neige y sont excellentes. Ici, sur le "toit" de la Norvège, l'élite internationale vient skier côte à côte avec le skieur moyen.

De mektige naturpanoramaer på Vestlandet gir sterke inntrykk uansett årstid. Ved store snøfall er rasfaren noe befolkningen må forholde seg til. De fleste steder er fjellene altfor bratte for alpinanlegg, men blant annet Voss kan by på glimrende terreng.

The awe-inspiring scenery of western Norway makes an indelible impression at all times of the year. The people who live there have accustomed themselves to the threat presented by heavy snowfalls and sudden thaws. In most places the mountainsides are far too steep for winter sports, but Voss is an example of a resort that can offer first-class skiing facilities.

Das mächtige Naturpanorama in Westnorwegen macht unabhängig von der Jahreszeit einen starken Eindruck. Bei großen Schneefällen muß die Bevölkerung auf die Lawinengefahr Rücksicht nehmen. An den meisten Orten sind die Gebirge viel zu steil für Alpinanlagen, aber unter anderem Voss hat ein ausgezeichnetes Gelände zu bieten.

Les paysages panoramiques de la région ouest du pays, appelée "Vestlandet", sont impressionnantes en toutes saisons. Après de grandes chutes de neige, la population doit vivre sous la menace d'avalanches. Pour la plupart, les pentes des montagnes y sont presque partout trop abruptes pour faire construire des centres alpins, mais celui de Voss offre un excellent terrain.

*Jostedalsbreen og de mindre, omliggende breene dekker et 800 kvadratkilometer stort område. Tallrike brearmer grener seg ut fra hovedbreen og henger ut over de bratte fjellsidene.*

The Jostedal glacier and its smaller fellows nearby together cover an area 800 square kilometres in extent. Numerous arms reach out from the main glacier, to find their own way down the steep mountainsides.

*Jostedalsbreen und die kleineren, in der Nähe liegenden Gletscher bedekken ein 800 Quadratkilometer großes Gelände. Zahlreiche Gletscherarme verzweigen sich vom Hauptgletscher aus und hängen über die steilen Bergseiten.*

*L'énorme glacier de Jostedalsbreen et les petits glaciers avoisinants recouvrent une surface de 800 km². De nombreux bras de glaciers se ramifient du glacier principal et surplombent les parois raides des montagnes.*

Bremuseet i Fjærland byr på multi-
mediaforestillinger og livfulle instal-
lasjoner. Man får også et innblikk i
den fjerne fortid da hele Norge var
dekket av snø og is, dengang vinteren
hersket med uinnskrenket makt.

The Glacier Museum at Fjærland
offers multimedia shows and an array
of lifelike exhibits. It also provides an
illuminating insight into the distant
past, a time when Norway was entire-
ly covered by a thick carapace of snow
and ice and winter ruled supreme.

Das Gletschermuseum in Fjærland
bietet Multimediavorstellungen und
interessante Darstellungen. Man
bekommt auch einen Einblick in die
ferne Vorzeit als ganz Norwegen von
Schnee und Eis bedeckt war, damals,
als der Winter mit uneingeschränkter
Macht herrschte.

Le Musée du Glacier à Fjærland offre
des spectacles de multimédia et des
installations animées. On peut s'y fai-
re une idée sur le passé préhistorique,
quand la Norvège entière était cou-
verte de neige et de glace, sous le règ-
ne absolu du froid.

*Isbrenaturen på Vestlandet tiltrekker seg mange turister som ønsker en aktiv og opplevelsesrik ferie. Fotturer på breen kan de fleste delta i, mens isbreklatring krever at man er i god fysisk form.*

*The glaciers of western Norway attract many visitors in search of an active and adventurous holiday. Walks across the glaciers are within the capabilities of most people, but climbing and exploring them presupposes a high standard of physical fitness.*

*Die Eisgletschernatur in Westnorwegen zieht natürlich viele Touristen an, die aktive und erlebnisreiche Ferien wünschen. An Fußtouren auf dem Gletscher können die meisten teilnehmen, während Eisgletscherklettern eine gute körperliche Verfassung erfordert.*

*La nature du pays de l'ouest parsemée de glaciers attire les touristes qui désirent des vacances actives et riches en aventures. La plupart entre eux peuvent participer à la traversée des glaciers, tandis que l'escalade des parois demande un bon entraînement physique.*

*Stryn Sommerskisenter byr på første-*
*klasses snøforhold det meste av som-*
*meren. På breen hersker vinteren hele*
*året og gir turistene unike muligheter*
*til å «smake på» den kalde årstid i*
*ønskede mengder.*

*Stryn Summer Skiing Centre offers*
*excellent conditions for skiing*
*throughout most of the summer. On*
*the nearby glacier it is winter all year*
*round, providing visitors with all the*
*snow and ice they could possibly wish*
*for.*

*Das Sommerskizentrum in Stryn bie-*
*tet die meiste Zeit des Sommers erst-*
*klassige Schneeverhältnisse. Auf dem*
*Gletscher herrscht der Winter das*
*ganze Jahr und gibt den Touristen*
*einzigartige Möglichkeiten, die kalte*
*Jahreszeit in gewünschten Mengen zu*
*"kosten".*

*Le Centre de Ski Estival à Stryn offre*
*d'excellentes conditions de neige pre-*
*sque tout l'été. Sur le glacier, l'hiver*
*règne l'année durant, ce qui donne*
*aux touristes l'unique possibilité de*
*"goûter" à la saison froide en quanti-*
*tés voulues.*

*Skitur på isbreene er et godt alternativ for folk som ønsker fredeligere omgivelser enn det alpinanlegget kan by på.*

*Skiing on a snow-covered glacier is an attractive alternative for people wishing to get away from an overcrowded piste.*

*Skitouren auf den Gletschern sind eine gute Alternative für Leute, die eine friedlichere Umgebung wünschen als die Alpinanlage bieten kann.*

*Les randonnées en ski sur les glaciers sont une bonne alternative pour ceux qui désirent un entourage plus calme que celui des centres alpins.*

# Nordlysets land

I de nordligste deler av Norge er vinteren lang og mørk. Som kompensasjon kan naturen til tider by på nordlysets flammende og fargerike formasjoner, synsopplevelser som for alltid festes til hukommelsen. På 78 grader nord ligger Svalbard, Norges arktiske forpost mot Nordpolen. Året igjennom dekker snø og is store deler av denne fjellrike øygruppen. De mange isbjørnene har gjort det nødvendig å advare om den fare som truer: «Hold avstand. Den angriper uten varsel.» I dag er de hvite bjørnene totalfredet.

Vinteren i nord dominerer årsløpet, mens langs kysten er det mildere enn i innlandet lengre sør. På Finnmarksvidda driver fortsatt reindriftssamene sin gamle næringsvirksomhet. Denne livsformen, som er nært knyttet til naturen på vidda, har betydning for opprettholdelse av samenes kultur. Rein, samiske folkedrakter, musikk og de særegne teltene tiltrekker seg i dag stor oppmerksomhet og gir, sammen med andre opplevelsestilbud i Finnmark, grunnlag for en økende turisme også om vinteren.

In the far north of Norway winters are long and dark. By way of compensation, Nature stages a colourful spectacle, the darting tongues, flaming arcs and fan-shaped coronas of the Northern Lights. At 78° north lies Svalbard (Spitzbergen), the arctic outpost nearest to the North Pole. Large areas of the Spitzbergen archipelago are under ice and snow all year round. The many polar bears have made it necessary to warn tourists of the possible danger.

Winter dominates life in the north, though along the coast the climate is milder than inland further south. On the vast plain of Finnmarksvidda, some of the indigenous 'samer' (Lapps) still cling to their traditional nomadic way of life, keeping reindeer and moving with them from place to place according to the seasons. The colourful costumes, music, reindeer and distinctive dwellings help nurture a tourist industry which attracts visitors even in the depths of winter.

In den nördlichsten Teilen Norwegens ist der Winter lang und dunkel. Als Ausgleich bringt die Natur von Zeit zu Zeit die flammenden und vielfarbigen Formationen des Nordlichtes hervor, ein visuelles Erlebnis, das man nie vergißt. Unter 78 Grad nördlicher Breite liegt Svalbard, Norwegens arktischer Vorposten zum Nordpol. Das ganze Jahr decken Schnee und Eis große Teile dieser gebirgigen Inselgruppe. Wegen der vielen Eisbären ist es notwendig, auf die drohende Gefahr aufmerksam zu machen. Heute sind die weißen Bären unter ganzjährlichen Naturschutz gestellt.

Auf der Finnmarksvidda leben noch immer Lappen von der Rentierhaltung. Diese Lebensform, die nahe mit der Natur verbunden ist, hat Bedeutung für die Aufrechterhaltung der lappländischen Kultur. Rentiere, lappländische Volkstrachten, Musik und die eigenartigen Zelte erwecken heute große Aufmerksamkeit.

Dans le nord de la Norvège, l'hiver est long et sombre. Comme compensation, la nature offre de temps en temps les formations éclatantes et colorées de l'aurore boréale. L'île de Svalbard est situé au 78ème degré nord. L'année durant, cette île montagneuse est recouverte par la neige et la glace. Vu le grand nombre d'ours polaires, il s'est avéré nécessaire de mettre les visiteurs en garde contre le danger. Aujourd'hui, les ours blancs sont protégés durant toute l'année.

Sur le haut-plateau du Finnmark, les lapons vivent toujours de l'élévage de rennes. Ce mode de vie est étroitement lié à la nature du haut-plateau, et est important pour sauvegarder la culture laponne. Les rennes, les costumes folkloriques des lapons, leur musique et leurs tentes caractéristiques attirent à présent beaucoup d'attention. Par ailleurs, le Finnmark offre divers événements folkloriques et autres, formant la base d'un tourisme en pleine croissance.

Nordlyset er et av de mest fascineren-
de naturfenomener man kan oppleve.
I de nordlige deler av Norge forekom-
mer det relativt hyppig om vinteren.
«De fargerike flammene» er vel verdt
et besøk.

The Northern Lights are one of Na-
ture's most enchanting sights. In the
northern regions of Norway they are
a relatively common occurrence in
winter and are well worth the journey
involved.

Das Nordlicht ist eines der am mei-
sten faszinierenden Naturphänomene
die man erleben kann. In den nörd-
lichen Teilen Norwegens kommt es
im Winter verhältnismäßig oft vor.
Die "farbigen Flammen" sind des
Besuches wert.

L'aurore boréale est un phénomène
naturel des plus fascinants. En hiver,
il se manifeste relativement souvent
dans le nord de la Norvège, et les
"coloris flamboyants" valent bien une
visite.

Finnmarks vidstrakte og værharde vidder egner seg bare som beiteområde for rein. I dag lever mindre enn 2000 samer av reindrift. Om vinteren beiter reinen på Finnmarksvidda.

The vast, exposed moors of Finnmark are suitable only as grazing grounds for reindeer. Nowadays, fewer than 2000 'samer' (Lapps) earn their livelihood by herding reindeer. In winter the herds find grazing on the moors.

Die weitgestreckten und dem Wetter ausgesetzten Ebenen Finnmarks eignen sich nur als Weidegebiete für Rentiere. Heute leben weniger als 2000 Lappen von Rentierzucht. Im Winter weiden die Rentiere auf der Finnmarksvidda.

Les vastes plateaux au climat rigoureux du Finnmark ne conviennent que pour les pâturages de rennes. De nos jours, à peine 2000 lapons vivent encore de l'élévage des rennes. En hiver, le haut-plateau appelé "Finnmarksvidda" est le lieu de pâturage des troupeaux de rennes.

For turister er reindriftssamenes livs-
form spennende og eksotisk. I dag er
turismen viktig, og om vinteren kan
man få oppleve blant annet snøscoo-
tersafari og turer med sleder trukket
av rein.

Tourists find the life of Norway's
reindeer-herding Lapps both intri-
guing and exotic. Tourism has develo-
ped into an important industry, also
in winter, when Finnmark offers
snowscooter safaris and excursions by
reindeer-drawn sleigh.

Für Touristen wirkt die Lebensform
der Lappen, die von Rentierzucht
leben, spannend und exotisch. Heute
ist der Fremdenverkehr wichtig, und
im Winter kann man unter anderem
Schneemobilfahrten machen, und
man kann auf Schlitten fahren, die
von Rentieren gezogen werden.

Le mode de vie des lapons éléveurs de
rennes semble passionnant et exotique
aux touristes. De nos jours, le touris-
me est important, et on peut choisir
entre les safaris en scooter ou les pro-
menades en traîneaux tirés par des
rennes.

*Den mørke årstiden i nordlige lands-
deler gjør at nordlyset trer tydelig
frem på himmelen, men lar også
månen skinne ved middagstid. Nord-
lys over Lofotens ville fjell er et flott
syn, og Troms kan være et eldorado
for skiløpere.*

*In northern Norway the inky dark-
ness of the winter allows the Nor-
thern Lights to come into their own,
but it also means that the moon
shines brightly at midday. The jagged
crests of Lofoten, etched against a sky
ablaze with the Northern Lights, are a
magnificent sight, while Troms is a
paradise for skiers.*

*Die dunkle Jahreszeit in den nörd-
lichen Landesteilen läßt das Nordlicht
deutlich am Himmel hervortreten,
aber bewirkt auch, daß der Mond zur
Mittagszeit scheint. Das Nordlicht
über den wilden Gebirgen in Lofoten
ist ein großartiger Anblick, und
Troms kann ein Eldorado für Skifah-
rer sein.*

*Au nord du pays, la saison sombre
fait ressortir l'aurore boréale dans le
ciel, mais laisse aussi briller la lune à
midi. L'aurore boréale sur le massif
sauvage du Lofoten est un spectacle
magnifique, et la région de Troms
peut être un eldorado pour les skieurs.*

Den arktiske natur er karrig, særlig vinteren legger strenge begrensninger på livsutfoldelsen. Langs Svalbards forrevne kyster har fangstmenn og sjøfolk kjempet mang en kamp for å overleve.

The arctic landscape is bleak in the extreme, with the consequence that, in winter, social activities are strongly curtailed. On the harsh and rugged coast of Svalbard, over the centuries trappers and seafarers have fought many a brave struggle to survive.

Die arktische Natur ist karg, besonders der Winter beschränkt die Lebensentfaltung in hohem Grade. Der zerklüfteten Küste Svalbards entlang haben Jäger und Seeleute so manchen Kampf auf Leben und Tod geführt.

La nature arctique est peu féconde, et l'hiver en particulier, limite sévèrement l'épanouissement de la vie. Le long des côtes rocailleuses et tourmenées de Svalbard, chasseurs et pêcheurs ont mené un combat assidu contre les éléments de la nature pour survivre.

*Isbjørnen er et av verdens vakreste dyr, men også et av de villeste og farligste. Den er nysgjerrig og lite sky, derfor er faren for angrep overhengende.*

*The polar bear is one of the world's most beautiful animals, but it is also one of the most dangerous and unpredictable. Polar bears are incurably inquisitive and have little fear of man, which means that the danger of attack is ever present.*

*Eisbären gehören zu den schönsten Tieren der Welt, aber auch zu den wildesten und gefährlichsten. Sie sind neugierig und wenig scheu, deshalb droht die Gefähr eines Angriffs.*

*L'ours blanc, un animal magnifique des plus beaux du monde, est aussi un des plus sauvages et plus dangereux. Ils sont curieux et peu méfiants, ce qui aggrandit le danger d'une attaque subite.*

## PHOTO CREDITS:

# VINTER-NORGE
Art. no. 100/240

© Normanns Kunstforlag, 1993
P.B. 30, 1330 Oslo L. Norway
Norwegian text:
Olav Christensen
English translation:
Helge & Pauline Næss
German translation:
Alexandra Kvisgaard
French translation:
Eve-Marie Lund
Edition, design and production:
Boksenteret A/S
DTP: Elin Sollesnes
Pre-press:
Tangen Grafiske Senter A/S
Printed in Brepols S.A., Belgium, 1993

ISBN 82-7670-021-7